HAU'R HAD

DAMEG YR HEUWR
Gan Angharad Tomos
Darluniau gan Stephanie McFetridge Britt

CYHOEDDIADAU'R
GAIR

ⓑ Testun gwreiddiol: 1989 Roper Press Inc.
Cyd-argraffiad byd-eang wedi'i drefnu gan
Angus Hudson Ltd. Llundain.
ⓑ Testun Cymraeg: 1996 Cyhoeddiadau'r Gair.
Argraffwyd yn Hong Kong.
Awdur y testun gwreiddiol: Marilyn Lashbrook
Darluniau gan: Stephanie McFetridge Britt
Testun Cymraeg: Angharad Tomos
Dymuna'r cyhoeddwyr gydnabod cymorth
Adran Olygyddol Cyngor Llyfrau Cymru.
Golygydd Cyffredinol: Aled Davies

ISBN 1 85994 088 9

Cyhoeddwyd gan:
Cyhoeddiadau'r Gair, Cyngor Ysgolion Sul Cymru,
Ysgol Addysg, PCB, Ffordd Deiniol,
Bangor, Gwynedd, LL57 2UW.

HAU'R HAD

DAMEG YR HEUWR

Gan Angharad Tomos

Darluniau gan Stephanie McFetridge Britt

o Mathew 13, Marc 4 a Luc 8

Swish swish, sblash sblash!

Eisteddai Iesu mewn cwch bach. Safai'r bobl ar y
lan yn gwrando ar Iesu yn adrodd stori
- stori am rywbeth a welent bob dydd
- stori am ffermwr yn hau had.

Un tro yr oedd ffermwr a aeth allan i hau yn ei gae.

Lle syrthiodd yr had?
Syrthiodd ambell un ar y ffordd
Syrthiodd rhai eraill ar y cerrig
a syrthiodd eraill ymysg drain.
Ond syrthiodd y rhan fwyaf ar bridd meddal, da.

Pic pic pic!

Cyn pen dim, roedd adar llwglyd wedi bwyta'r hadau ar y ffordd.

Pop pop pop!

Blagurodd yr hadau ar y cerrig wedi peth amser.
Ond roedd y pridd yn rhy denau, a buan y
crinodd yr eginblanhigion bychain.

Sgriff sgriff sgriff!

Buan y tagodd y drain y blagur eraill.

Ond cyn pen fawr o dro, roedd yr hadau a syrthiodd
ar bridd meddal da wedi gwreiddio a thyfu.
Ychydig iawn a dyfodd rhai.
Tyfodd eraill fwy.
A thyfodd eraill lond gwlad o wenith.
Roedd y ffermwr yn fodlon iawn ar ei gnwd.

Wedi i Iesu ddweud ei stori,
bu ei ffrindiau'n dyfalu.

"Beth yw ystyr y stori?" gofynnent.
Dyma sut yr atebodd Iesu.

Mae'r stori fel darlun . . . darlun sy'n gwneud i bobl feddwl amdanynt eu hunain.
Mae yna wahanol fathau o bridd a gwahanol fathau o bobl.

Caiff rhai pobl gyfle i glywed y Beibl yn cael ei ddysgu.

Ond mewn gwirionedd, dydyn nhw ddim yn
    edrych . . .
        nac yn gwrando . . .
        nac yn meddwl
am yr hyn a ddywed yr athrawes. A chan nad ydynt yn gwrando, dydyn nhw byth yn dysgu am gariad Duw.

Dangoswch y rhan o'ch corff a ddefnyddiwch i wrando ar Air Duw.

Dangoswch y rhan o'ch corff a ddefnyddiwch i edrych ar eich rhieni a'ch athrawon pan maent yn siarad â chi.

Dangoswch y rhan o'ch corff a ddefnyddiwch pan ydych yn meddwl am yr hyn mae'r Beibl yn ei ddysgu i chi.

Mae rhai pobl yn clywed am Iesu ac yn credu ynddo. Ond wnân nhw ddim dysgu adnodau'r Beibl i'w helpu i dyfu.

Pan ddaw trafferthion, maent yn dewis gwneud y pethau ffôl. Yn fuan, maent yn anghofio iddynt adnabod Iesu erioed.

Dangoswch y rhan o'ch corff a ddefnyddiwch pan ydych yn dysgu adnodau'r Beibl air am air.

Dangoswch y rhan o'ch corff a ddefnyddiwch i ddweud 'NA!' wrth rywun sy'n ceisio eich perswadio i wneud drygioni.

Mae rhai yn clywed Gair Duw ac yn credu. Ond maent yn poeni am bethau eraill. Yn lle tyfu a rhannu, dydyn nhw'n meddwl am neb ond hwy eu hunain.

Dangoswch y rhan o'ch corff a ddefnyddiwch i ddod pan mae eich rhieni yn galw arnoch.

Dangoswch y rhan o'ch corff a ddefnyddiwch pan ydych yn rhoi i eraill.

Mae rhai yn caru Duw.
Maent yn caru Gair Duw, y Beibl.

Maent yn tyfu a thyfu wrth iddynt
dysgu ac ufuddhau i Air Duw.

Maent yn gweddïo ac yn moli'r Arglwydd. Maent yn helpu eraill i ddysgu am Iesu.

Dangoswch y rhan o'ch corff a ddefnyddiwch i ganu a gweddïo a siarad ar ran Duw.

Dangoswch y rhan o'ch corff a ddefnyddiwch i fod yn help i eraill.

Dangoswch y rhan o'ch corff a ddefnyddiwch i gerdded i gyfarfod â ffrindiau newydd yn yr eglwys a'r capel.

Mae rhai yn dweud am Iesu wrth rai o'u ffrindiau.
Mae rhai yn dweud am Iesu wrth fwy o bobl
ac mae rhai yn sôn amdano wrth lawer o bobl.

Mae Iesu yn hapus iawn efo pobl sy'n
     gwrando . . .
         yn credu . . .
            yn tyfu . . .
               ac yn rhannu.